KU-437-294

Text and illustrations copyright © 2017 Kate Alizadeh
Dual language and audio copyright © 2019 Mantra Lingua
The moral right of the author/illustrator has been asserted

First published in Great Britain in 2017 by Child's Play (International) Ltd
Ashworth Road, Bridgemead, Swindon SN5 7YD, UK

This dual language edition first published in 2022 by Mantra Lingua
Global House, 303 Ballards Lane, London N12 8NP, UK
www.mantralingua.com

All rights reserved

ISBN 978-1-80137-215-2
Printed in Malta

A catalogue record of this book
is available from the British Library

MANTRA
LINGUA

ТИХО!
Quiet!

Kate Alizadeh

Ukrainian re-telling by Natalia Racheyskova

Скри-и-и-п

Creeeeaak

Ш-ш-ш! Послухай,
що це за шум?

Sssh! Listen,
what's that noise?

Це пінькає мікрохвильова пічка...

It's the microwave ping...

та звякає посуд у раковині.

Це я постукую по столу,
а мій братик голосно ікає.

It's me tapping on the table
and my brother burping loudly.

Це кішка хрумкає свій сухий корм, а тато сміється.

It's the cat chewing her food and my dad laughing away.

Ш-ш-ш! Послухай,
що це за шум?

Sssh! Listen,
what's that noise?

Це телевізор щось бурмоче, я вжикаю машинку по килимку, а кішка муркоче.

It's the TV babbling, as I zoom zoom the car across the rug and the cat purrs.

БЛА-БЛА-БЛА
Blah Blah Blah

БУРМОТІННЯ
Chatter

ФР-ФР-ФР
Purrrr

ВЖ-Ж-Ж
Brrmm

А собака хропе, і лептоп гуде,
а дощ накрапає у вікно.

And the dog snoring and the laptop whirring
and the pitter patter of the rain against the window.

Це мій братик брязкає іграшками і хихотить,
коли я лоскочу йому ніжкии.

It's my brother rattling his toys
and giggling when I tickle his feet.

Я чую шурхіт та шелест,
коли перегортаю сторінки моєї книжки.

ШУРХ
Rustle

ВУШ Swish

НЯВ
Meow

And the swish and rustle as I turn the pages of my book.

Ш-Ш-Ш! Послухай,
що це за шум?

Sssh! Listen,
what's that noise?

It's the water dripping from the taps and the splish splash of my bath. And the squeak squeak of my rubber duck and the swoosh of the flush.

ПИП-ПИП Squeak

КРАП-КРАП

Drip Drip

Час митися! Вода тече
з кранів, булькає, бризкається
та плескотить у ванні.
Моя гумова качечка піщить,
а в унітазі журчить.

Це жужжить фен.

Ж-Ж-Ж-Ж
Whirr

It's the whirring of the hairdryer.

То моя зубна щітка каже: "вуш-вуш",
а вода у раковині стікає та булькає.

And the scrubbing of my toothbrush
and the gurgle of the water down the sink.

Це скрипить підлога
і риплять пружини ліжка.

It's the creak of the floorboards
and the bed squeaking.

Це лагідний, приглушений голос
мого батька, коли він читає
мені книжку перед сном.
І його глибокий тихий голос,
коли він співає мені колискову.

It's the soft hushed voice of my dad
as he reads me a bedtime story.
And his deep quiet voice as he sings
a lullaby.

Тато шльопає своїми в'єтнамками...

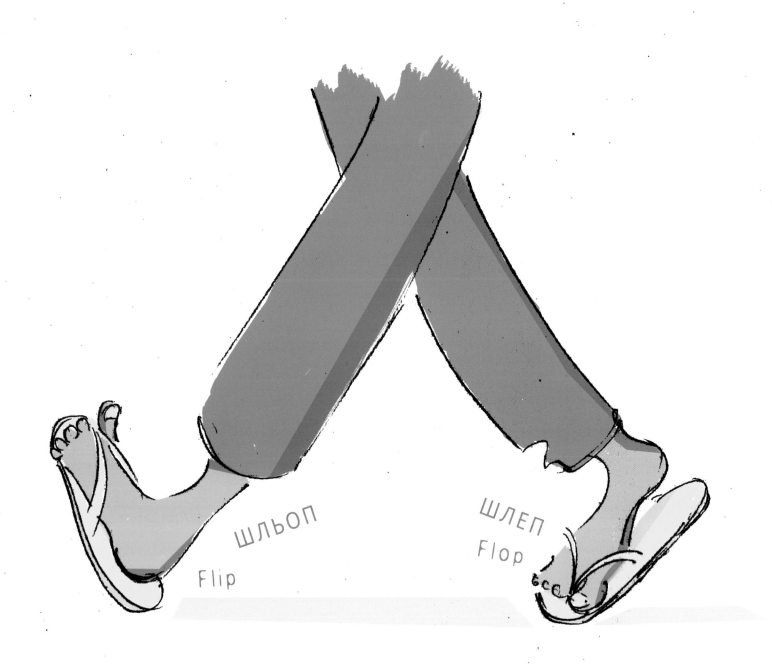

And the flip flop of his friendly feet...

до вимикача та вимикає світло.
Він посилає мені повітряний поцілунок.

as he clicks off the switch.
And blows me a goodnight kiss.

Ш-Ш-Ш-Ш! Послухай, як тихо.

Ssshh! Listen, it's so quiet.